해치지 않아

우리는 초식인간

글 · 정미진   그림 · 씩이동아

at|noon books

본능적으로 알아보았다.

같은 종족임을.

이 남자는

이 여자는……

'초식인간' 이구나.

여섯 달 전 이은

찰칵

✏️ 상태 🖼️ 사진/동영상 🎯 중요 이벤트

🥀 피고름 같은 적금. 병원비로 다 때려 박음. ㅠㅠ

+

누구와 함께였나요?

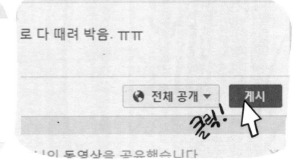

로 다 때려 박음. ㅠㅠ

🌐 전체 공개 ▼   게시

클릭!

이 동영상을 공유했습니다.

새로운 소식이 있습니다!

피링

모히또에서
몰디브 한 잔!

셀프웨딩 찍은 날~

달달이들

흰둥이 새로 뽑았삼

피링

첫출근이닷!

6년째 연애 중

드뎌 졸업

나에게 주는
선물

피링

17

집 보러 왔지?
여기야~

드르륵

이거 암만해도
안 들어가~!!!

안되는데..

25

26

뭐야...

봄날은 아직
세 걸음 전,
같은 날 이사

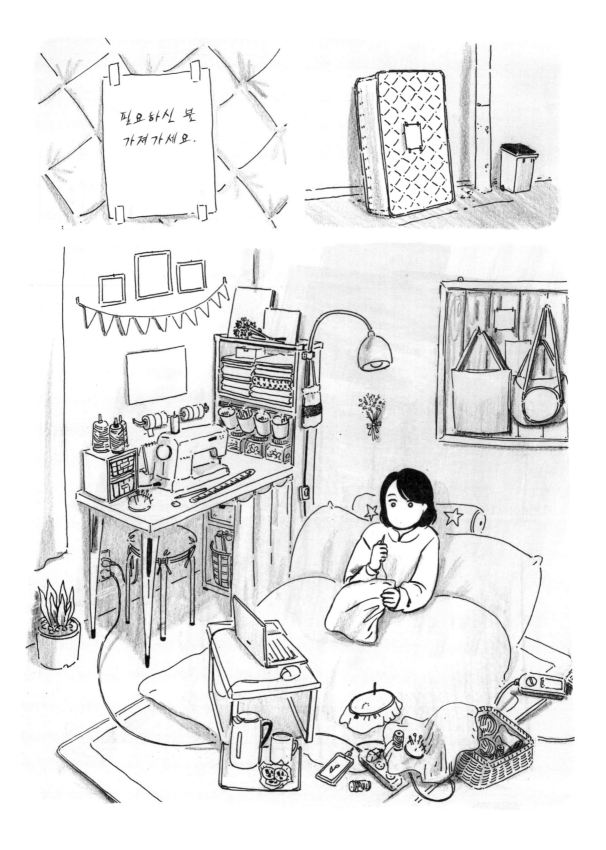

29

이러다 평생 남의 발만 보다 죽겠구나…

악!!!!!

다 됐다!

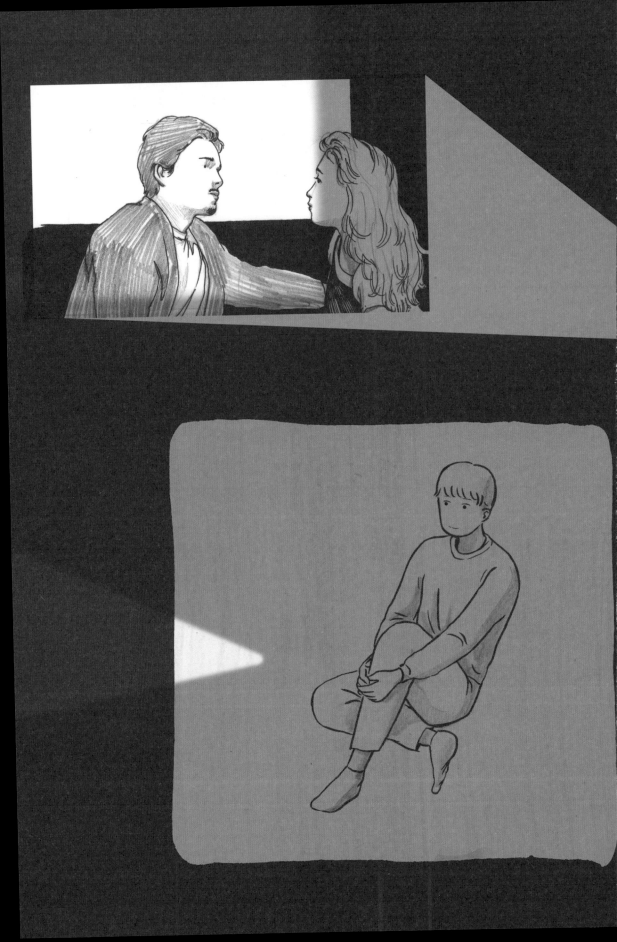

37

해치지 않아.

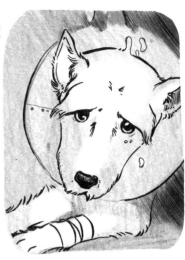

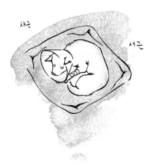

채식주의자라고 다 농사지어 먹는 줄 아나?

쳇-

쪼조조

근데 이은 씨는 채식도 안 한다면서 채소는 왜 키워요?

사 먹을 돈 없어서요. 나는 그쪽처럼 가난이 선택이 아니거든요.

음… 흠

근데 왜 수의사가 됐어요? 이왕이면 의사하지.

사람보다 동물이 좋거든요.

맹목적으로 사랑하고 꼬는 거 없이 곧이곧대로 표현하고.

52

영화 재밌어요?
여기요.

우와아아아!!

맛의 혁명

우와! 왜 채소에서
고기 맛이 나지?
진짜 채소 맞아요?

맛있어요?

네 !!

최근에 누구랑
싸운 적 있어요?

많죠. 요즘엔 엄마랑
전화할 때마다 싸워요.

왜요?
싸울 일 있어요?

그냥요.

남자애들은 학기 초만 되면 쉬는
시간마다 싸우는 게 일이잖아요.
왜 그럴까요?

남자들 다 그렇지
않나? 수한 씨는
안 싸웠어요?

애초에 싸울 상황을 피했죠.
힘자랑하는 게 미련해 보여서.

결혼해서 애 낳고 사는 것도 일종의 생존경쟁 같아 보여요.

그니깐 허벅지 훤히 드러낸 처자가 옆에 있어도 꿈쩍도 안 하지.

왜요? 아쉬워요?

. . .

?

됐거든요.

쿡쿡쿡

푸하하

미안해요.

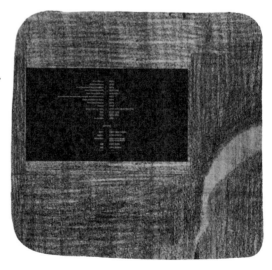

오늘 저녁 어때요?

오늘은 엄마가
오기로 해서요.

사는 꼬라지히곤.

그 흔한 보험 하나
안 들어 놨더라.

니도 호작질
고만하고 취직해서
병원비나 보태라!!

위잉 위잉   위잉 위잉

위잉 위잉

70

사훈: 약육강식. 강한 자가 살아남는다.

이은 씨. 2년 근무면 경력직도 애매하고 신입도 애매하네. 우리 회산 철저하게 인센티브제예요.

이은 씨. 가족 관계가 어떻게 돼요? 친척들은 좀 있고? 친구 관계는?

이은 씨. 이게 처음에는 인맥 싸움이거든. 요즘 사람들은 근성이 없어서. 일하다 보면 적당히 희생할 줄도 알고 그래야지. 그저 편한 데만 찾으려고.

이은 씨는 안 그렇죠?

75

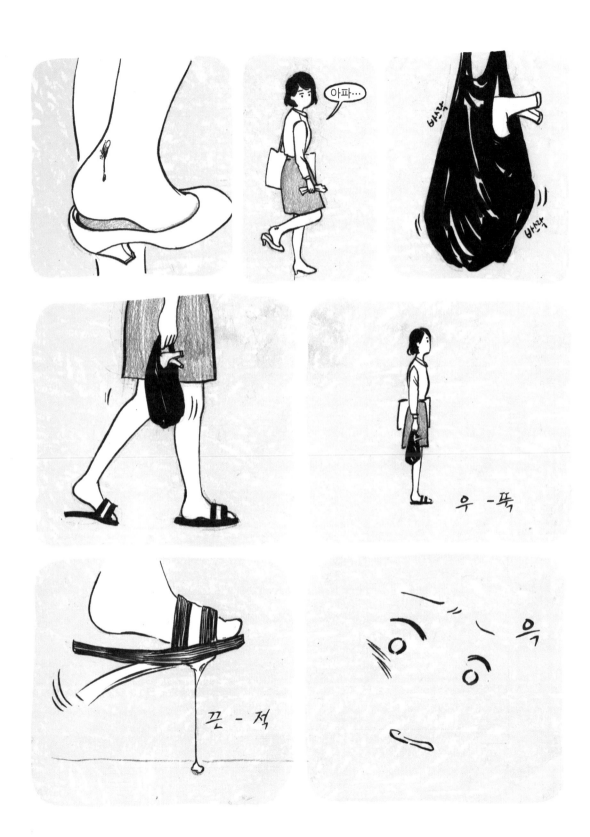

열차가 도착합니다.

북적 북적

하...

좀 살겠다.

덜컹

덜컹

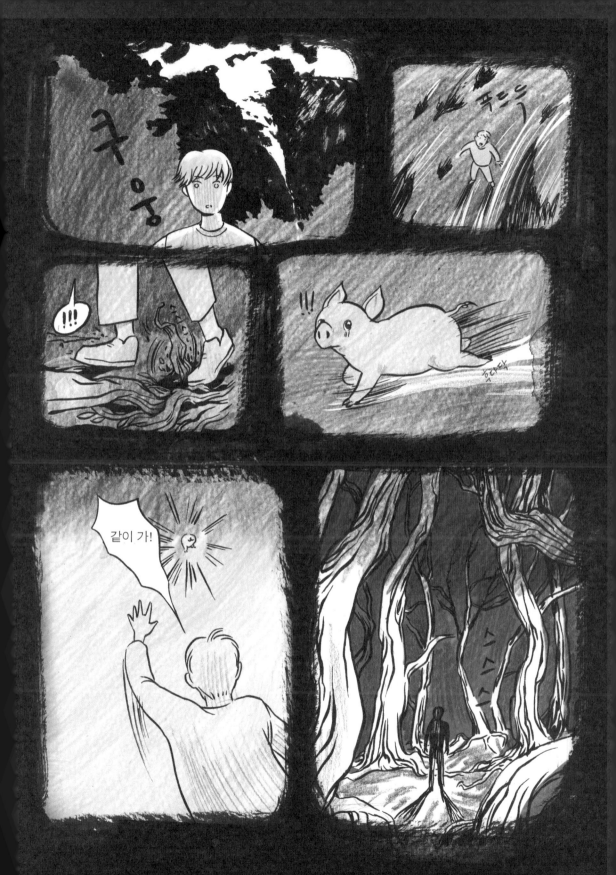

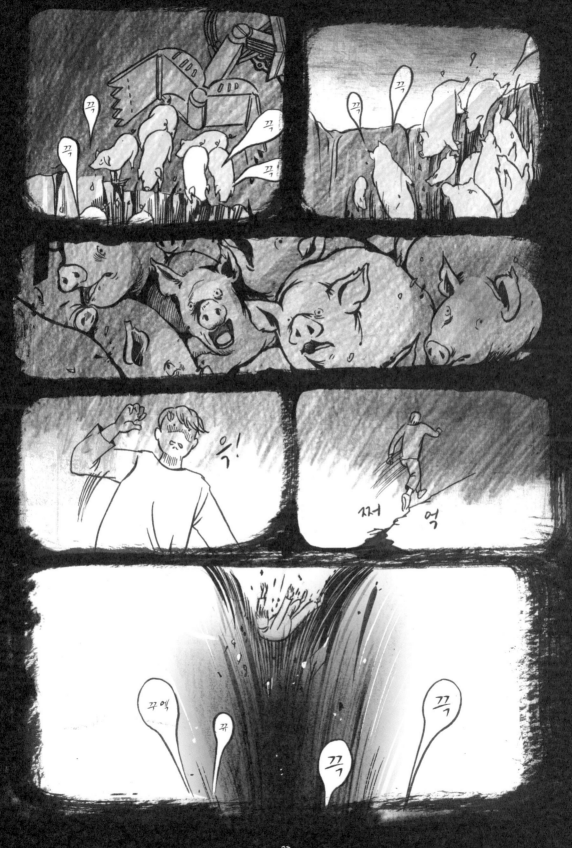

괜찮아요?

귀신 꿈이라도 꿨어요?

...

생매장 당하는 꿈이요.

엥? 생매장? 그게 뭐예요.

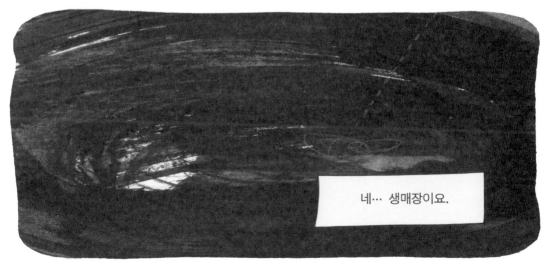
네… 생매장이요.

수의관으로 있을 때
구제역이 터졌거든요.

구덩이에 수백 마리의 가축들을 생매장시키는 걸 봤어요.

그걸 보면서 이런 세상에서는
언젠가 사람도, 아니 나도
생매장 돼서 죽을 수 있겠구나, 생각했어요.
그게 땅이든 바다든.

그때부터 고기를
못 먹겠더라구요.

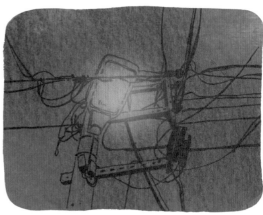

재미없죠?

절 레

어디 가려고?
잘 맞고
안 맞고는
맞춰 봐야
아는 거 아냐?

꾹-

요즘 애들은
시작도 안 해 보고
앓는 소리부터 한다니깐!!!!!
빠져 가지곤!

-뚝-

화르르륵!

죄송합니다.
채용면접에 불합격….

으어어   에어어

지금
뭐 하는
짓인지…

어, 엄마.

뭐 하냐.

101

107

쏴아아아아아

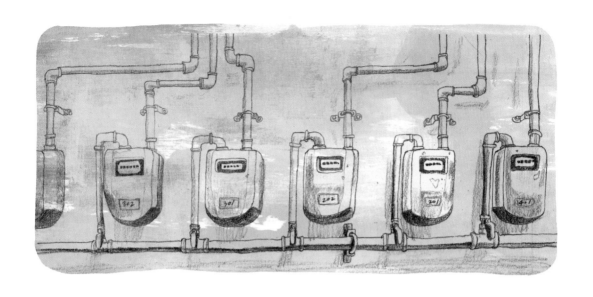

어쩌면 나는 생존경쟁에서 도태된 건지도 모른다는 생각이 들어요.

드럽고 치사해도 일단 수단 방법 가리지 않고 살아남아야 하는 거 아닐까.

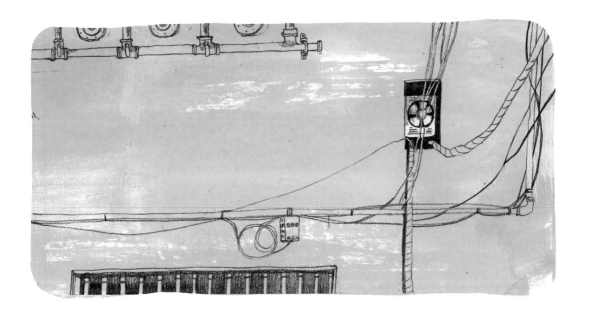

나처럼 나약해 빠진 인간은 도태되는 게 마땅하지 않을까…

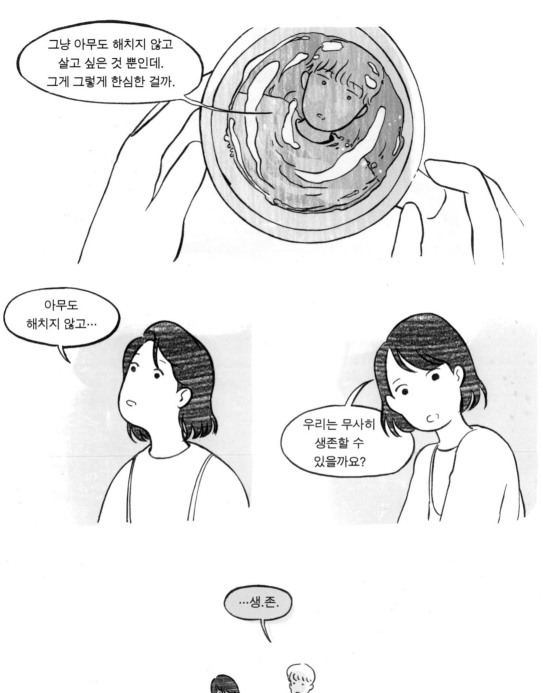

생
존
·

125

명절 같은 날 티비에
고아원 방문하는 거
나오잖아요.

우리 애들은 깨끗하고
예쁜 모습으로 손님들
맞았으면 좋겠어요.

일부러 그러는 건지, 애기들이
더 추레하고 불쌍하게 나오더라구요.
그런 거 싫어요.

이런 거
처음인데…

이렇게 하면 되나?

잘 하네요~

그 까만 애들은

보신탕 제조 공장에 있었어요. 눈앞에서 개들이 산 채로 믹서에 갈리는 걸

매일같이 보는 거예요.

그 앤 크면서 못생겨졌다고 버려졌어요.

저 애는 새끼 치는 목적으로 개 농장에 있었어요. 평생 제대로 누울 수도 없는 케이지에 갇혀서 줄창 새끼만 낳다 죽는 거예요.

그리고

크르릉

괜찮아.

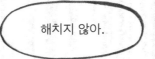

해치지 않아.

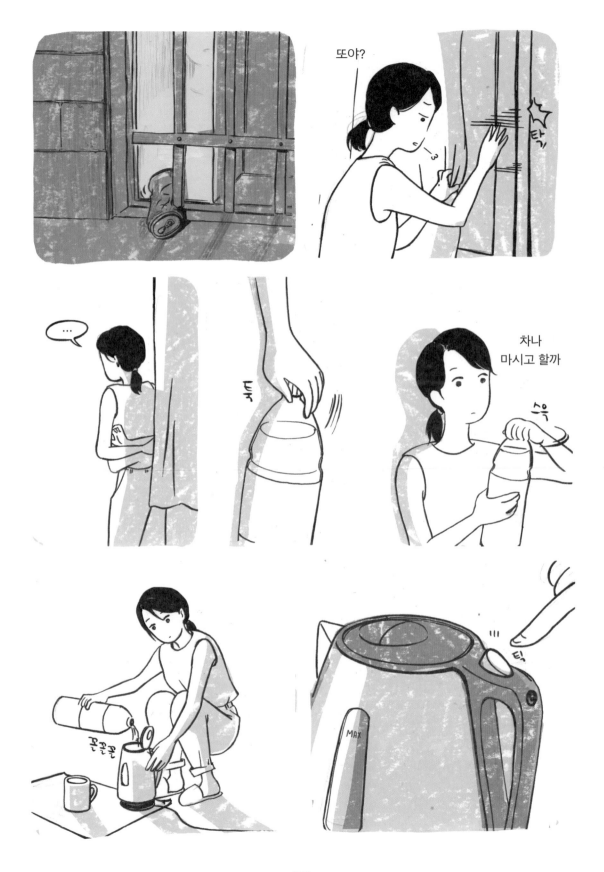

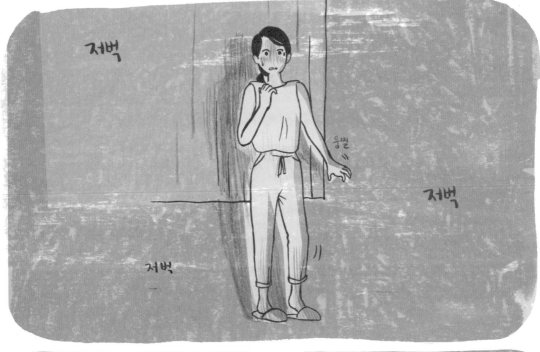
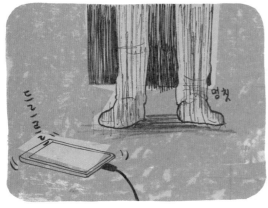

145

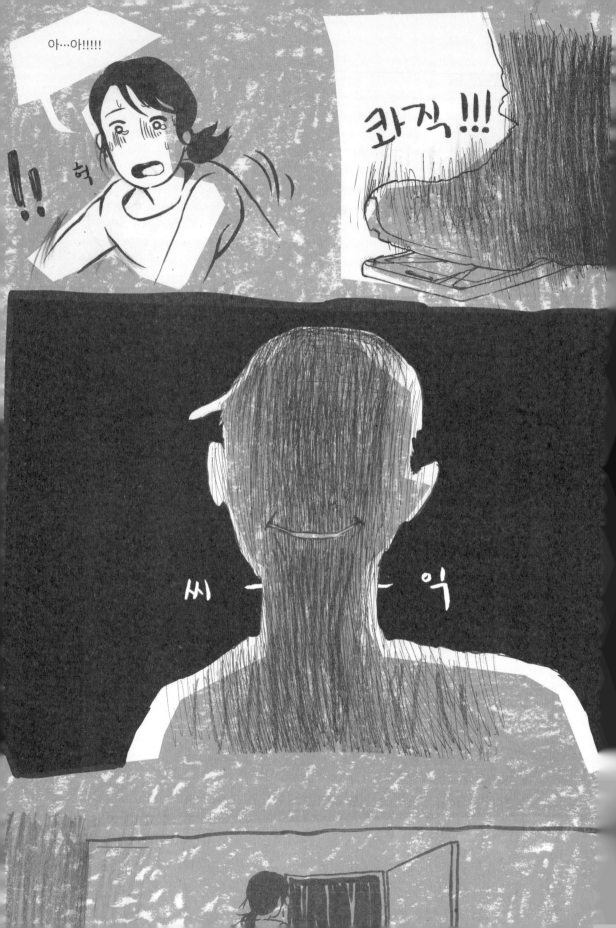

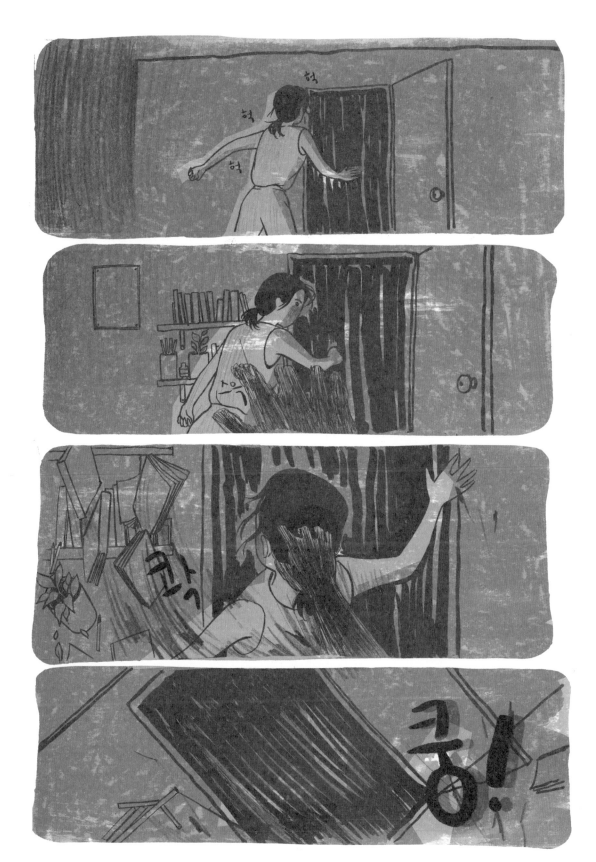

뭔 불이래?

사람은 없고
짐승들만 있으니
다행이네!

소방차는?

골목이 좁아서
못 들어오고 있대.

으악!!

퍽

나한테
왜 그래!!!
내가 뭘
잘못했다고!!!

내가 얼마나
열심히 살았는데!!!
얼마나 안간힘으로
버티는 건데!!!

내가 가만있으니
바보로 보여!!!

가만있으니
이것들이!!!
으아아아아-
아아아아악!!!!

나는……

차르르르르
차르르

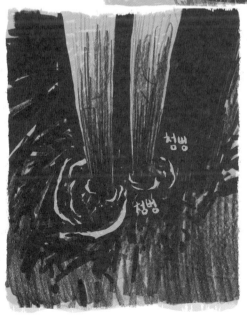

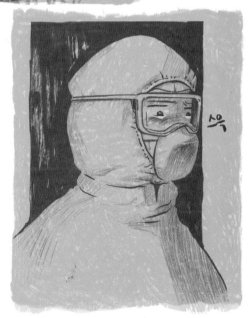

나는!!!!!

사람이다!!!!
사람이 있어!!!

자 내려가 있자~

으아아아악!!
비켜어어어 !!

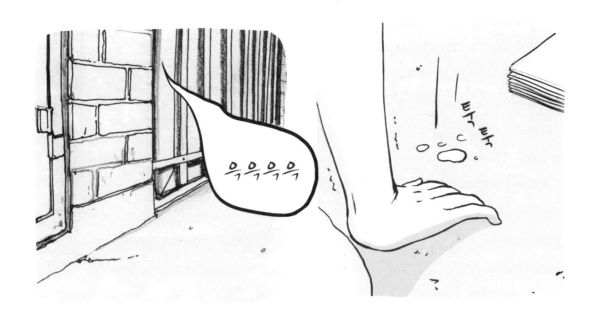

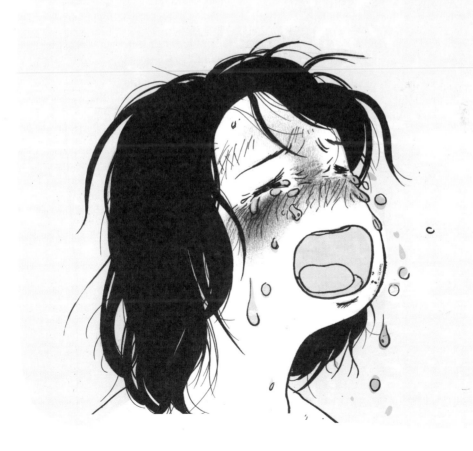

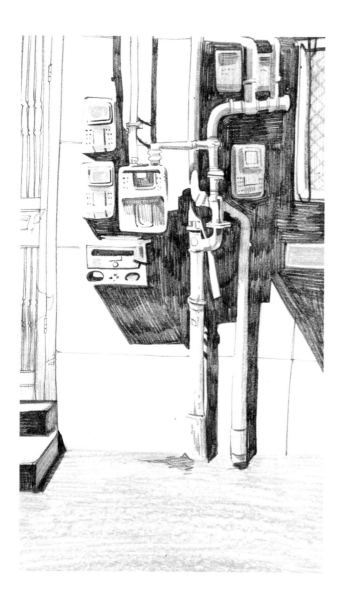

180

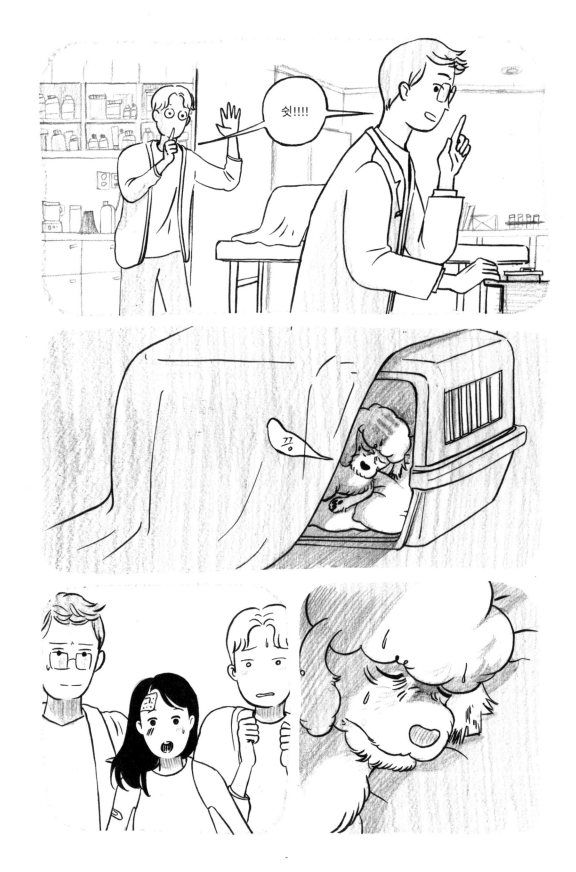

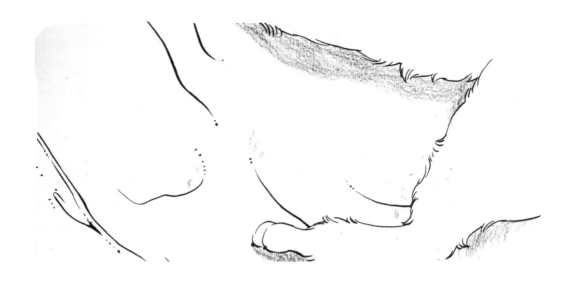

생존

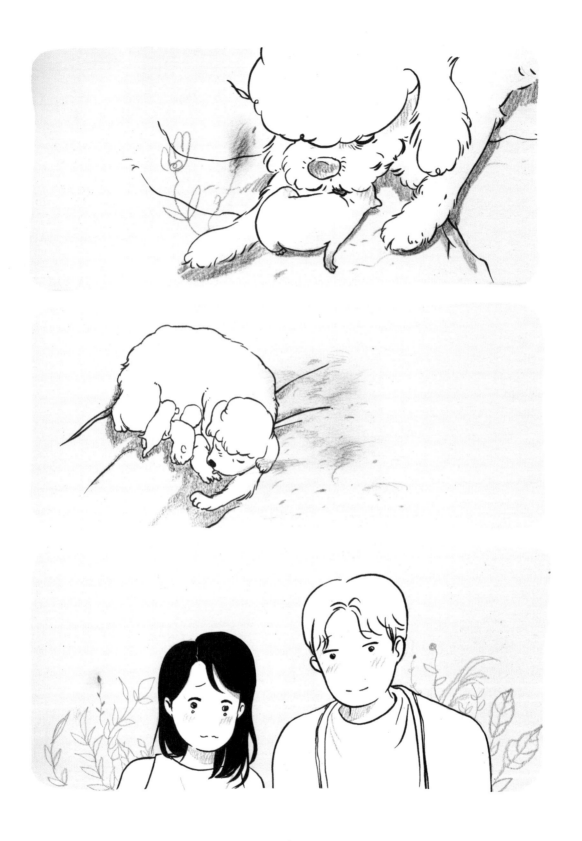

공존

잘 먹겠습니다!

저도요!

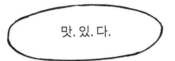

해치지 않아

초판1쇄 인쇄일
2016년 7월 2일

초판1쇄 발행일
2016년 7월 15일

글
정미진

그림
싹이돋아

펴낸곳
atnoon books

펴낸이
정미진

디자인
강경탁(a-g-k.kr)

교정
엄재은

등록
2013년 08월 27일 제 2013-000257호

주소
서울시 마포구 연남로 30 105-1103

홈페이지
www.atnoonbooks.net

페이스북
Atnoonbooks

인스타그램
atnoonbooks

연락처
atnoonbooks@naver.com

ISBN 979-11-952161-5-4

이 도서의 국립중앙도서관 출판시도서목록(CIP)은 서지정보유통지원시스템 홈페이지(http://seoji.nl.go.kr)와 국가자료공동목록시스템(http://www.nl.go.kr/kolisnet)에서 이용하실 수 있습니다.(CIP제어번호: CIP2016015319)

책값은 뒤표지에 표기되어 있습니다.